„Dass ich zeichne und die Kunst studire,
hilft dem Dichtungsvermögen auf,
statt es zu hindern,
denn Schreiben muss man nur wenig,
Zeichnen viel."

Ausgewählt und mit
einem Nachwort versehen
von Jochen Klauss

Für Marlies

ZEICHNUNGEN
VON GOETHES HAND

32 WIEDERGABEN
NACH AQUARELLEN
UND SKIZZEN DES DICHTERS
MIT TEXTEN
VON IHM SELBST

EDITION LEIPZIG

Die Leiden
des jungen Werther.
/ Auszug /

Eine wunderbare Heiterkeit hat meine ganze Seele eingenommen, gleich den süßen Frühlingsmorgen, die ich mit ganzem Herzen genieße. Ich bin allein, und freue mich meines Lebens in dieser Gegend, die für solche Seelen geschaffen ist wie die meine. Ich bin so glücklich, mein Bester, so ganz in dem Gefühle von ruhigem Dasein versunken, daß meine Kunst darunter leidet. Ich könnte jetzt nicht zeichnen, nicht einen Strich, und bin nie ein größerer Mahler gewesen als in diesen Augenblicken. Wenn das liebe Thal um mich dampft, und die hohe Sonne an der Oberfläche der undurchdringlichen Finsterniß meines Waldes ruht, und nur einzelne Strahlen sich in das innere Heiligthum stehlen, ich dann im hohen Grase am fallenden Bache liege, und näher an der Erde tausend mannichfaltige Gräschen mir merkwürdig werden; wenn ich das Wimmeln der kleinen Welt zwischen Halmen, die unzähligen unergründlichen Gestalten der Würmchen, der Mücken näher an meinem Herzen fühle, und fühle die Gegenwart des Allmächtigen, der uns nach seinem Bilde schuf, das Wehen des Allliebenden, der uns in ewiger Wonne schwebend trägt und erhält; mein Freund! wenn's dann um meine Augen dämmert, und die Welt um mich her und der Himmel ganz in meiner Seele ruhn wie die Gestalt einer Geliebten; dann sehne ich mich oft und denke: ach könntest du das wieder ausdrücken, könntest du dem Papiere das einhauchen, was so voll, so warm in dir lebt, daß es würde der Spiegel deiner Seele, wie deine Seele ist der Spiegel des unendlichen Gottes! – Mein Freund – Aber ich gehe darüber zu Grunde, ich erliege unter der Gewalt der Herrlichkeit dieser Erscheinungen.

/ WA I 19, S. 7f. /

1 / Scheideblick nach Italien vom Gotthard

Was frommt die glühende Natur
An deinem Busen dir,
Was hilft dich das Gebildete
Der Kunst rings um dich her,
Wenn liebevolle Schöpferkraft
Nicht deine Seele füllt
Und in den Fingerspitzen dir
Nicht wieder bildend wird.

/ HA I, S. 53 /

2 / Schwanenteich in Parklandschaft

GESANG DER GEISTER
ÜBER DEN WASSERN.

Des Menschen Seele
Gleicht dem Wasser:
Vom Himmel kommt es,
Zum Himmel steigt es,
Und wieder nieder
Zur Erde muß es,
Ewig wechselnd.

Strömt von der hohen,
Steilen Felswand
Der reine Strahl,
Dann stäubt er lieblich
In Wolkenwellen
Zum glatten Fels,
Und leicht empfangen
Wallt er verschleiernd,
Leisrauschend
zur Tiefe nieder.

Ragen Klippen
Dem Sturz entgegen,
Schäumt er unmuthig
Stufenweise
Zum Abgrund.

Im flachen Bette
Schleicht er das Wiesenthal hin,
Und in dem glatten See
Weiden ihr Antlitz
Alle Gestirne.

Wind ist der Welle
Lieblicher Buhler;
Wind mischt vom Grund aus
Schäumende Wogen.

Seele des Menschen,
Wie gleichst du dem Wasser!
Schicksal des Menschen,
Wie gleichst du dem Wind!

/ WA I 2, S. 56 f /

3 / WASSERFALL DER REUSS IM DRACHENTAL

Die Natur. Fragment

/ Auszug /

Natur! Wir sind von ihr umgeben und umschlungen – unvermögend aus ihr herauszutreten, und unvermögend tiefer in sie hinein zu kommen. Ungebeten und ungewarnt nimmt sie uns in den Kreislauf ihres Tanzes auf und treibt sich mit uns fort, bis wir ermüdet sind und ihrem Arme entfallen. Sie schafft ewig neue Gestalten; was da ist war noch nie, was war kommt nicht wieder – alles ist neu, und doch immer das Alte. Wir leben mitten in ihr, und sind ihr fremde. Sie spricht unaufhörlich mit uns, und verräth uns ihr Geheimniß nicht. Wir wirken beständig auf sie, und haben doch keine Gewalt über sie. (...)

Sie hat keine Sprache noch Rede, aber sie schafft Zungen und Herzen durch die sie fühlt und spricht.

Ihre Krone ist die Liebe. Nur durch sie kommt man ihr nahe. Sie macht Klüfte zwischen allen Wesen, und alles will sich verschlingen. Sie hat alles isolirt, um alles zusammen zu ziehen. Durch ein paar Züge aus dem Becher der Liebe hält sie für ein Leben voll Mühe schadlos.

Sie ist alles. Sie belohnt sich selbst und bestraft sich selbst, erfreut und quält sich selbst. Sie ist rauh und gelinde, lieblich und schrecklich, kraftlos und allgewaltig. Alles ist immer da in ihr. Vergangenheit und Zukunft kennt sie nicht. Gegenwart ist ihr Ewigkeit. Sie ist gütig. Ich preise sie mit allen ihren Werken. Sie ist weise und still. Man reißt ihr keine Erklärung vom Leibe, trutzt ihr kein Geschenk ab, das sie nicht freiwillig gibt. Sie ist listig, aber zu gutem Ziele, und am besten ist's ihre List nicht zu merken.

Sie ist ganz, und doch immer unvollendet. So wie sie's treibt, kann sie's immer treiben. Jedem erscheint sie in einer eignen Gestalt. Sie verbirgt sich in tausend Namen und Termen, und ist immer dieselbe.

Sie hat mich hereingestellt, sie wird mich auch herausführen. Ich vertraue mich ihr. Sie mag mit mir schalten. Sie wird ihr Werk nicht hassen. Ich sprach nicht von ihr. Nein, was wahr ist und was falsch ist alles hat sie gesprochen. Alles ist ihre Schuld, alles ist ihr Verdienst.

/ WA II 11, S. 5–9 /

4 / Auf dem St. Gotthard

An den Mond.
Erste Fassung.

Füllest wieder 's liebe Tal
Still mit Nebelglanz,
Lösest endlich auch einmal
Meine Seele ganz.

Breitest über mein Gefild
Lindernd deinen Blick
Wie der Liebsten Auge, mild
Über mein Geschick.

Das du so beweglich kennst,
Dieses Herz im Brand,
Haltet ihr wie ein Gespenst
An den Fluß gebannt,

Wenn in öder Winternacht
Er vom Tode schwillt
Und bei Frühlingslebens Pracht
An den Knospen quillt.

Selig, wer sich vor der Welt
Ohne Haß verschließt,
Einen Mann am Busen hält
Und mit dem genießt,

Was den Menschen unbewußt
Oder wohl veracht'
Durch das Labyrinth der Brust
Wandelt in der Nacht.

5 / Aufgehender Mond am Fluss

DIE ROMANTISCHE POESIE.
Stanzen zu Erklärung eines Maskenzugs
aufgeführt den 30. Januar 1810.
/ Auszug /

Minnesinger.

Von Wartburgs Höhn, wo vor so manchen Sonnen
Uns eure Väter freundlich angehört,
Wohin, noch froh gedenk der alten Wonnen,
Der ewig rege Bardengeist sich kehrt,
Weil jede Krone, die er dort gewonnen,
Des Gebers Ruhm durch alle Zeiten mehrt:
Das Gute, das geschehend uns ergetzet,
Wird rühmlich, wenn die Zeit es trägt und schätzet –

Heldendichter.

Da sangen wir an jedem Feiertage,
Der eurem Stamm die frische Knospe gab;
Den spatentriss'nen Ahnherrn trug die Klage
Melodisch groß zum sieggeschmückten Grab;
Dann kündeten wir jede Wundersage,
Das Heldenschwert so wie den Zauberstab;
Und jauchzend folgten wir dem jungen Paare,
Dem frohen schönbekränzten, zum Altare.

Herold.

Nun tritt ein Herold auf zur guten Stunde,
Der treu vor euch den goldnen Scepter bückt.
Er bringt von jener Zeit gewisse Kunde,
Daß Fürsten selbst mit Liedern sich geschmückt,
Und führet vor euch her froh in die Runde
Der Bilder Schaar, wie sie uns dort entzückt;
Und zweierlei vermag er anzumelden:
Der Liebe Scherz, darauf den Ernst der Helden.

/ WA I 16, S. 219 /

6 / Wartburg von Nordosten

Die ihr Felsen und Bäume bewohnt, o heilsame Nymphen,
  Gebet jeglichem gern, was er im Stillen begehrt!
Schaffet dem Traurigen Trost, dem Zweifelhaften Belehrung,
  Und dem Liebenden gönnt, daß ihm begegne sein Glück!
Denn euch gaben die Götter, was sie den Menschen versagten,
  Jeglichem, der euch vertraut, tröstlich und hülflich zu sein.

7 / Felsentreppe im Weimarer Park

Ich weiß nicht, was mir hier gefällt,
In dieser engen kleinen Welt
Mit holdem Zauberband mich hält?
Vergess' ich doch, vergess' ich gern,
Wie seltsam mich das Schicksal leitet;
Und ach ich fühle, nah und fern
Ist mir noch manches zubereitet.
O wäre doch das rechte Maß getroffen!
Was bleibt mir nun, als, eingehüllt,
Von holder Lebenskraft erfüllt,
In stiller Gegenwart die Zukunft zu erhoffen!

/ WA I 1, S. 102 /

8 / Floss- oder Naturbrücke im Weimarer Park

Endlich! endlich darf ich hoffen!
Ja, mir steht der Himmel offen!
Auf einmal
Streift in's tiefe Nebelthal
Ein erwünschter Sonnenstrahl.
Theilt euch, Wolken, immer weiter!
Himmel, werde völlig heiter!
Ende, Liebe, meine Qual!

9 / WOLKENMASSEN VERDECKEN UNTERGEHENDE SONNE

Winckelmann genoß einer solchen allgemeinen, unangetasteten Verehrung, und man weiß, wie empfindlich er war gegen irgend etwas Öffentliches, das seiner wohl gefühlten Würde nicht gemäß schien. Alle Zeitschriften stimmten zu seinem Ruhme überein, die besseren Reisenden kamen belehrt und entzückt von ihm zurück, und die neuen Ansichten, die er gab, verbreiteten sich über Wissenschaft und Leben. Der Fürst von Dessau hatte sich zu einer gleichen Achtung emporgeschwungen. Jung, wohl- und edeldenkend, hatte er sich auf seinen Reisen und sonst recht wünschenswerth erwiesen. Winckelmann war im höchsten Grade von ihm entzückt und belegte ihn, wo er seiner gedachte, mit den schönsten Beinamen. Die Anlage eines damals einzigen Parks, der Geschmack zur Baukunst, welchen von Erdmannsdorf durch seine Thätigkeit unterstützte, alles sprach zu Gunsten eines Fürsten, der, indem er durch sein Beispiel den übrigen vorleuchtete, Dienern und Unterthanen ein goldnes Zeitalter versprach.

10 / SCHLOSS WÖRLITZ

Wenn zu den Reihen der Nymphen, versammelt in heiliger Mondnacht,
Sich die Grazien heimlich herab vom Olympus gesellen;
Hier belauscht sie der Dichter und hört die schönen Gesänge,
Sieht verschwiegener Tänze geheimnißvolle Bewegung.
Was der Himmel nur Herrliches hat, was glücklich die Erde
Reizendes immer gebar, das erscheint dem wachenden Träumer.
Alles erzählt er den Musen, und daß die Götter nicht zürnen,
Lehren die Musen ihn gleich bescheiden Geheimnisse sprechen.

/ WA I 2, S. 128 /

11 / Winterliche Mondnacht am Schwansee bei Weimar

ILMENAU
AM 3. SEPTEMBER 1783.
/ Auszug /

Wer kann der Raupe, die am Zweige kriecht,
Von ihrem künft'gen Futter sprechen?
Und wer der Puppe, die am Boden liegt,
Die zarte Schale helfen durchzubrechen?
Es kommt die Zeit, sie drängt sich selber los
Und eilt auf Fittigen der Rose in den Schoos.
Gewiß, ihm geben auch die Jahre
Die rechte Richtung seiner Kraft.
Noch ist bei tiefer Neigung für das Wahre
Ihm Irrthum eine Leidenschaft.
Der Vorwitz lockt ihn in die Weite,

Kein Fels ist ihm zu schroff, kein Steg zu schmal;
Der Unfall lauert an der Seite
Und stürzt ihn in den Arm der Qual.
Dann treibt die schmerzlich überspannte Regung
Gewaltsam ihn bald da bald dort hinaus,
Und von unmuthiger Bewegung
Ruht er unmuthig wieder aus.
Und düster wild an heitern Tagen,
Unbändig ohne froh zu sein,
Schläft er, an Seel' und Leib verwundet und zerschlagen,
Auf einem harten Lager ein …

/ WA I 2, S. 145 f /

Zwischen Weizen und Korn,
Zwischen Hecken und Dorn,
Zwischen Bäumen und Gras,
Wo geht's Liebchen?
Sag' mir das!

Fand mein Holdchen
Nicht daheim;
Muß das Goldchen
Draußen sein.
Grünt und blühet
Schön der Mai;
Liebchen ziehet
Froh und frei.

An dem Felsen bei'm Fluß,
Wo sie reichte den Kuß,
Jenen ersten im Gras,
Seh' ich etwas!
Ist sie das?

/ WA I 1, S. 80 /

13 / Morgensonne am Gartenzaun

DER PARK.

Welch ein himmlischer Garten entspringt aus Öd' und aus Wüste,
  Wird und lebet und glänzt herrlich im Lichte vor mir.
Wohl den Schöpfer ahmet ihr nach, ihr Götter der Erde!
  Fels und See und Gebüsch, Vögel und Fisch und Gewild.
Nur daß euere Stätte sich ganz zum Eden vollende,
  Fehlet ein Glücklicher hier, fehlt euch am Sabbat die Ruh.

14 / Oberweimarer Landschaft mit Kirchturm

/ Auszug /

Nun hatte ich einen wundersamen geheimen Reiseplan. Ich mußte nämlich, nicht nur etwa von Geschäftsleuten sondern auch von vielen am Ganzen theilnehmenden Weimarern, öfter den lebhaften Wunsch hören, es möge doch das Ilmenauer Bergwerk wieder aufgenommen werden. Nun ward von mir, der ich nur die allgemeinsten Begriffe von Bergbau allenfalls besaß, zwar weder Gutachten noch Meinung, doch Antheil verlangt, aber diesen konnt' ich an irgend einem Gegenstand nur durch unmittelbares Anschauen gewinnen. Ich dachte mir unerläßlich vor allen Dingen das Bergwesen in seinem ganzen Complex, und wär' es auch nur flüchtig, mit Augen zu sehen und mit dem Geiste zu fassen, denn alsdann nur konnt' ich hoffen in das Positive weiter einzudringen und mich mit dem Historischen zu befreunden. Deßhalb hatt' ich mir längst eine Reise auf den Harz gedacht ...

15 / Eingestürzte Schachtanlage

Um Mitternacht, wenn die Menschen erst schlafen,
Dann scheinet uns der Mond,
Dann leuchtet uns der Stern,
Wir wandlen und singen
Und tanzen erst gern.

Um Mitternacht, wenn die Menschen erst schlafen,
Auf Wiesen, an den Erlen,
Wir suchen unsern Raum
Und wandlen und singen
Und tanzen einen Traum.

/ WA I 4, S. 101 /

16 / ERLEN AM BACH

Diese Gondel vergleich' ich der sanft einschaukelnden Wiege,
  Und das Kästchen darauf scheint ein geräumiger Sarg.
Recht so! Zwischen der Wieg' und dem Sarg wir schwanken und schweben
  Auf dem großen Kanal sorglos durch's Leben dahin.

/ WA I 1, S. 309 /

Hast du das Mädchen gesehn
Flüchtig vorübergehn?
Wollt', sie wär' meine Braut!

Ja wohl! die Blonde, die Falbe!
Sie fittigt so zierlich wie die Schwalbe,
Die ihr Nest baut.

———————

Du bist mein und bist so zierlich,
Du bist mein und so manierlich,
Aber etwas fehlt dir noch:
Küssest mit so spitzen Lippen,
Wie die Tauben Wasser nippen;
Allzu zierlich bist du doch.

/ WA I 3, S. 149 /

18 / Porträt einer sitzenden Dame

Freudig war, vor vielen Jahren,
Eifrig so der Geist bestrebt,
Zu erforschen, zu erfahren,
Wie Natur im Schaffen lebt.
Und es ist das ewig Eine,
Das sich vielfach offenbart;
Klein das Große, groß das Kleine,
Alles nach der eignen Art.
Immer wechselnd, fest sich haltend;
Nah und fern und fern und nah;
So gestaltend, umgestaltend –
Zum Erstaunen bin ich da.

/ WA I 3, S.84 /

19 / Sizilianische Landschaft

Tiefe Stille herrscht im Wasser,
Ohne Regung ruht das Meer,
Und bekümmert sieht der Fischer
Glatte Fläche rings umher.
Keine Luft von keiner Seite!
Todesstille fürchterlich!
In der ungeheuern Weite
Reget keine Welle sich.

/ WA I 1, S. 66 /

20 / Bucht von Palermo mit Monte Pellegrino

Natur und Kunst sie scheinen sich zu fliehen,
Und haben sich, eh' man es denkt, gefunden;
Der Widerwille ist auch mir verschwunden,
Und beide scheinen gleich mich anzuziehen.

Es gilt wohl nur ein redliches Bemühen!
Und wenn wir erst in abgemess'nen Stunden
Mit Geist und Fleiß uns an die Kunst gebunden,
Mag frei Natur im Herzen wieder glühen.

So ist's mit aller Bildung auch beschaffen:
Vergebens werden ungebundne Geister
Nach der Vollendung reiner Höhe streben.

Wer Großes will muß sich zusammenraffen;
In der Beschränkung zeigt sich erst der Meister,
Und das Gesetz nur kann uns Freiheit geben.

/ WA I 4, S. 129 /

21 / Parklichtung

Vieles hab' ich versucht, gezeichnet, in Kupfer gestochen,
    Öl gemahlt, in Thon hab' ich auch manches gedrückt,
Unbeständig jedoch, und nichts gelernt noch geleistet;
    Nur ein einzig Talent bracht' ich der Meisterschaft nah:
Deutsch zu schreiben. Und so verderb' ich unglücklicher Dichter
    In dem schlechtesten Stoff leider nun Leben und Kunst.

/ WA I 1, S. 314 /

Wo der Mensch im Leben hergekommen, die Seite von welcher er in ein Fach hereingekommen, läßt ihm einen bleibenden Eindruck, eine gewisse Richtung seines Ganges für die Folge, welches natürlich und nothwendig ist.

Ich aber habe mich der Geognosie befreundet, veranlaßt durch den Flötzbergbau. Die Consequenz dieser übereinander geschichteten Massen zu studiren verwandte ich mehrere Jahre meines Lebens. (...)

Der Ilmenauer Bergbau veranlaßte nähere Beobachtung der sämmtlichen thüringischen Flötze; vom Todtliegenden bis zum obersten Flötzkalke, hinabwärts bis zum Granit.

Diese Art des Anschauens begleitete mich auf Reisen; ich bestieg die Schweizer und Savoyer hohen Gebirge, erstere wiederholt; Tyrol und Graubündten blieben mir nicht fremd, und ich ließ mir gefallen, daß diese mächtigen Massen sich wohl dürften aus einem Lichtnebel einer Kometen-Atmosphäre krystallisirt haben. Doch enthielt ich mich von eigentlich allgemeineren geologischen Betrachtungen, bestieg den Vesuv und Ätna, versäumte aber nicht die ungeheure gewaltsame Ausdehnung der Erdbrände, in Gefolg so gränzenloser Kohlenlager, zu beachten und war geneigt beide mehr oder weniger als Hauptschweren der Erdoberfläche zu betrachten. (...)

Alles was ich hier ausspreche hab' ich wiederholt und anhaltend geschaut; ich habe, damit ja die Bilder im Gedächtniß sich nicht auslöschen, die genausten Zeichnungen veranstaltet, und so hab' ich, bezüglich auf den Theil der Erde den ich beobachtet, immer Regelmäßigkeit und Folge, und zwar übereinstimmend an mehreren Orten und Enden gefunden. ...

23 / BLICK VOM ÄTNA

Den 21. September Abends.
Ich ging zum alten Baumeister Scamozzi, der des Palladio Gebäude herausgegeben hat und ein wackerer leidenschaftlicher Künstler ist. Er gab mir einige Anleitung, vergnügt über meine Theilnahme. Unter den Gebäuden des Palladio ist eins, für das ich immer eine besondere Vorliebe hatte, es soll seine eigne Wohnung gewesen sein; aber in der Nähe ist es weit mehr, als man im Bilde sieht. Ich möchte es gezeichnet und mit den Farben illuminirt haben, die ihm das Material und das Alter gegeben. Man muß aber nicht denken, daß der Baumeister sich einen Palast errichtet habe. Es ist das bescheidenste Haus von der Welt, hat nur zwei Fenster, die durch einen breiten Raum, der das dritte Fenster vertrüge, abgesondert sind. Wollte man es zum Gemählde nachbilden, so daß die Nachbarhäuser mit vorgestellt würden, so wäre auch das vergnüglich anzusehen, wie es zwischen sie eingeschaltet ist. Das hätte Canalett mahlen sollen.

24 / VILLENTERRASSE IM MONDSCHEIN

PINSEL UND FEDER
VOM LORBEER UMWUNDEN
UND VON EINEM SONNENBLICK
BELEUCHTET.

Auf den Pinsel, auf den Kiel
Muß die Sonne freundlich blicken,
Dann erreichen sie das Ziel
Erdensöhne zu beglücken.
Künstlern auch der Lorbeer grünt,
Wenn sie freudig ihn verdient.

Willst du Großes dich erkühnen,   Wenn der Pinsel ihm die Welt erschuf,
Zeigt sich hier ein doppelt Glück;   Wenn die Feder ihm das Wort gereicht,
Feder wird dem Geiste dienen   Bleibt des Mimen edelster Beruf
Und der Pinsel dient dem Blick.   Daß er sich des Lorbeers würdig zeigt.

Will der Feder zartes Walten,
Will des Pinsels muthig Schalten
Sich dem reinsten Sinn bequemen,
Kannst getrost den Lorbeer nehmen.

25 / KÜSTENLANDSCHAFT

SCHWEBENDER GENIUS ÜBER DER ERDKUGEL,
MIT DER EINEN HAND NACH UNTEN,
MIT DER ANDERN NACH OBEN DEUTEND.

Zwischen oben, zwischen unten,
Schweb' ich hin zu muntrer Schau,
Ich ergötze mich am Bunten,
Ich erquicke mich im Blau.

Und wenn mich am Tag die Ferne
Luftiger Berge sehnlich zieht,
Nachts das Übermaß der Sterne
Prächtig mir zu Häupten glüht,

Alle Tag' und alle Nächte
Rühm' ich so des Menschen Loos;
Denkt er ewig sich in's Rechte,
Ist er ewig schön und groß.

/ WA I 4, S. 134 /

26 / Gebirgsort bei Velletri

Die Ähnlichkeit der vierfüßigen Thiere unter einander konnte von jeher auch der oberflächlichsten Betrachtung nicht entgehen. Auf die Ähnlichkeit der Thiere mit dem Menschen wurde man wahrscheinlich zuerst durch das Anschauen der Affen aufmerksam gemacht. Daß die übrigen vierfüßigen Thiere in allen ihren Haupttheilen mit dem Menschen übereinkommen, war nur durch eine genauere wissenschaftliche Untersuchung festzusetzen möglich, deren Bemühungen zuletzt noch viel weiter entfernt scheinende Gestalten aus dem Weltmeere in diese Verwandtschaft herbei zogen.

/ WA II 8, S. 263 f. /

Eine allgemeine wirkliche, die sich allgemein manifestirt hat und noch manifestirt.	Eine allgemeine dynamische, die sich im besondren manifestirt hat und noch manifestirt.
Uranfängliches Glühen des Erdkörpers.	Disposition der Erdoberfläche sich differenziiren zu lassen durch Schichten und Klüfte.
Hauptsächlich wirkend bei der Entstehung der Oberfläche.	Auch die Wasserwirkung ist unläugbar.
Immerfort wirkend. Aus der Tiefe nach oben.	Neuerregtes Peripherie-Feuer.
Folge jenes Universellen im Einzelnen.	Folge eines von Zeit zu Zeit sich manifestirenden galvanischen Prozesses, wozu Wasser nöthig ist.
Jeder Vulkan steht mit dem glühenden und noch auf siedenden Erdkörper in Connexion.	Die Anlage findet sich in den Schichten und Klüften; die untermeerischen und Ufer-Vulkane werden durch Wasser, die der Hochgebirge durch den schmelzenden ewigen Schnee erregt, wozu denn immer gewisse Localschichten und Bedingungen nöthig sind.

/ WA II 9, S. 302 f. /

Gut verloren – etwas verloren!
Mußt rasch dich besinnen
Und neues gewinnen.
Ehre verloren – viel verloren!
Mußt Ruhm gewinnen,
Da werden die Leute sich anders besinnen.
Muth verloren – alles verloren!
Da wär' es besser nicht geboren.

/ WA I 5, S. 107 /

Eine Anwandlung landschaftliche Skizzen zu zeichnen wies ich nicht ab; bei Spaziergängen im Frühling, besonders nahe bei Jena, faßt' ich irgend einen Gegenstand auf, der sich zum Bild qualificiren wollte, und suchte ihn zu Hause alsdann zu Papier zu bringen. Gleichermaßen ward meine Einbildungskraft durch Erzählungen leicht erregt, so daß ich Gegenden, von denen im Gespräch die Rede war, alsobald zu entwerfen trachtete. Dieser wundersame Trieb erhielt sich lebhaft auf meiner ganzen Reise, und verließ mich nur bei meiner Rückkehr, um nicht wieder hervorzutreten.

/ WA I 36, S. 59 f. /

30 / DER BORSCHEN BEI BILIN

Die Krystallographie, als Wissenschaft betrachtet, gibt zu ganz eignen Ansichten Anlaß. Sie ist nicht productiv, sie ist nur sie selbst und hat keine Folgen, besonders nunmehr, da man so manche isomorphische Körper angetroffen hat, die sich ihrem Gehalte nach ganz verschieden erweisen. Da sie eigentlich nirgends anwendbar ist, so hat sie sich in dem hohen Grade in sich selbst ausgebildet. Sie gibt dem Geist eine gewisse beschränkte Befriedigung und ist in ihren Einzelnheiten so mannichfaltig, daß man sie unerschöpflich nennen kann, deßwegen sie auch vorzügliche Menschen so entschieden und lange an sich festhält.

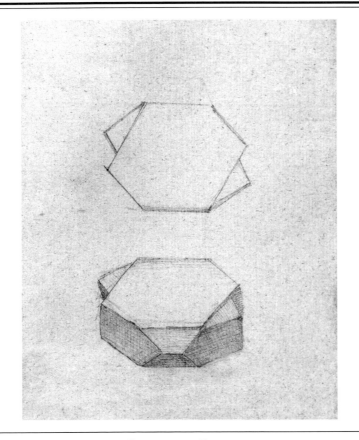

31 / Karlsbader Zwillinge

MAXIMEN UND REFLEXIONEN
ÜBER KUNST.
/ Auszug /

Ein edler Philosoph sprach von der Baukunst als einer erstarrten Musik und mußte dagegen manches Kopfschütteln gewahr werden. Wir glauben diesen schönen Gedanken nicht besser nochmals einzuführen, als wenn wir die Architektur eine verstummte Tonkunst nennen.

/ WA I 48, S. 212 /

Unter dem 5. Juli 1827 berichtet Johann Peter Ecker-mann von einem abendlichen trauten Zusammen-sein mit Goethe in der geschmackvoll-schlichten At-mosphäre des von der übergroßen Juno-Büste be-stimmten Musik- und Gesellschaftszimmers im Haus am Weimarer Frauenplan. Das Gespräch springt bald – wie es häufig zu geschehen pflegt – auf Ge-genstände der bildenden Kunst über. Handzeichnun-gen italienischer Künstler, bemerkt der Hausherr, sei er so glücklich gewesen, um ein Billiges zu erwer-ben, und er fährt fort: „Solche Zeichnungen sind un-schätzbar, nicht allein weil sie die rein geistige In-tention des Künstlers geben, sondern auch, weil sie uns unmittelbar in die Stimmung versetzen, in wel-cher der Künstler sich in dem Augenblick des Schaf-fens befand."[1] Es kann nicht deutlicher als mit diesen von Eckermann überlieferten Worten Goethes aus-gedrückt werden, was die vorliegende Auswahl von Handzeichnungen beim Betrachter anregen und be-wirken möchte: Intention zu vermitteln, Stimmung

zu erwecken, Schöpfung erahnen zu lassen. Un-schätzbar seien die Handzeichnungen großer Künst-ler, bekommt Eckermann zu hören, und sein Ge-sprächspartner, der Achtundsiebzigjährige, Reife und Erfahrene, wählt das Wort mit Bedacht, wußte er doch, wovon er sprach: als kreativer Künstler und unersättlicher Kunstkenner waren bei ihm ein Le-bensalter hindurch Wissen, Sehen und Schaffen, sich wechselseitig befruchtend und befördernd, immer-während vorangetrieben worden.

Goethe war ein Augenmensch, und über kein Sin-nesorgan hat er wohl so häufig meditiert, keins hat er so hochgeschätzt und hochgelobt wie das Auge, das „sein Dasein dem Licht zu danken" habe.[2] Was Wunder also, daß über das Auge Stift und Feder, Pin-sel und Kreide, die geliebten „Marterinstrumente", zu künstlerischen Behelfsinstrumenten der Welter-kenntnis wurden – und gleichzeitig den Pegasus be-flügelten, den poetischen Urquell umso heftiger sprudeln ließen. „Daß ich zeichne und die Kunst studiere, hilft dem Dichtungsvermögen auf, statt es zu mindern" – so lautet das endgültige Urteil des Welt- und Kunstkenners, der vom Turm seines in achtzig Jahren aufgeführten Lebenswerkes weise zurückblickt. Goethes Dichtungstrieb, verschlungen in seinen Hang und seine Anlage zur bildenden Kunst, wie es Wilhelm von Humboldt später treffend kennzeichnete, regt denn auch dazu an, dem Bilde das passende Wort, dem Bildlichen das verwandte Poetische bei- und zuzuordnen, wie es bei dieser Auswahl versucht worden ist.

Schon im kunstsinnigen Elternhaus war Goethe mit Bildern und Malern, mit Zeichnen und Gestalten aufgewachsen. Der aufmerksame Vater vor allem legte mit seiner Forderung: „Zeichnen müsse jedermann lernen"[3] den Grund für die entsprechende Ausbildung seines talentierten Sohnes, die in Frankfurt ein stundengebender „Zeichenmeister", während der Leipziger Studienjahre sodann der frühklassizistische Maler Adam Friedrich Oeser leitete. Die künstlerischen Fortschritte – Goethe bekennt es selbst in „Dichtung und Wahrheit" – waren bescheiden; auch flüchtige Abstecher zur Kunst des Radierens, des Holzschnitts und der Ölmalerei blieben nur Episode. Porträtieren, Zeichnen nach der Natur so-

wie bildnerische Gelegenheitsarbeiten in den Straßburger, Wetzlarer und Frankfurter Jahren blieben letztlich Versuche eines talentierten Dilettanten. Aber es war eben der junge Goethe, der da dilettierte: ein jugendlicher Feuerkopf, voller Tatendurst und großer Ideen, ständig verliebt und in innerer Aufwühlung und somit alles andere als ein stocktrockener Philister oder bücherwälzender Rechtsgelehrter. Zeichnen war ihm Lust und Liebe und seelischer Blitzableiter innerer Spannungen, die Blätter spätestens der ersten Schweizreise 1775 sprechen da eine beredte Sprache: hingeworfen und hingewühlt verraten die flüchtigen Skizzen die tiefe Fassungslosigkeit und innere Ohnmacht des sprachlosen Stadtmenschen Goethe angesichts der allgewaltigen Mächtigkeit der erstmals erschauten und erlebten Alpenwelt. Das im Tagebuch nachzulesende, wie Stammeln anmutende „allmächtig schröcklich"[4] findet seine zeichnerische Entsprechung in den meisten der 1775 entstandenen Schweizzeichnungen. Herausragend ist dabei jenes Blatt mit dem „Wasserfall der Reuß im Drachental" (Abb. 3). Sparsame Mittel, unkonventionelle Nahsicht und impressionistische Kühnheit bei der schwungvoll harten, „durchschlagenden" Linienführung weisen auf die gleiche geistige Wurzel wie die in dieser Zeit entstehende Sturm-und-Drang-Dichtung Goethes: „Die Leiden des jungen Werthers" waren gerade erschienen, der aufbegehrende „Prometheus"-Hymnus mit seinem luthertrotzigen „Hier sitz' ich / forme Menschen / nach meinem Bilde ...“[5] war gerade gedichtet worden, „ein gewaltiger Wurf nach höchstem Ziel"[6] und poetischer Splitter des nie vollendeten dramatischen Gesamtwerks mit derselben Titelfigur.

Auch dem Zeichnen jener Jahre haftete jenes höchste Wollen des Künstlers an, dem das ungenügende Vermögen des Anfängers Grenzen setzte. Bekanntestes Blatt, gleichfalls 1775 in der Schweiz entstanden, ist hier der mit „Scheideblick nach Italien vom Gotthard" (Abb. 1) betitelte Versuch, den grandiosen Ausblick von der Paßhöhe in Richtung Süden festzuhalten. Wenn die vielbesprochene Arbeit auch überwiegend positiv bewertet wird,[7] so ist doch einem Selbsturteil Goethes aus dieser Zeit gerade bei dem nicht gänzlich ausgeführten „Scheideblick" zuzustimmen: „Die Umrisse mochten mir gelingen, aber es trat nichts hervor, nichts zurück; für dergleichen Gegenstände hatte ich keine Sprache."[8] Vergleichbares gilt für das Blatt „Auf dem St. Gotthard" (Abb. 4).

Im Herbst 1775 treffen Goethe und Herzog Carl August in Frankfurt zusammen, und bereits im November des gleichen Jahres beginnt in Weimar jener kometenhafte Aufstieg des jungen Rechtsgelehrten in der Beamtenhierarchie des Ländchens Sachsen-Weimar-Eisenach, der den bald zum Vertrauten und Freund des jungen Herzogs gewordenen Dichter schnell auf den Ministersessel und in das Geheime Conseil gelangen läßt. Der anfangs als zeitlich begrenzter Versuch praktischer Wirksamkeit gedachte Verbleib in Weimar wandelte zusehends seinen Charakter zum Endgültigen. Die günstige Aufnahme durch den „edle(n) weimarische(n) Kreis"[9] und die sich dadurch eröffnende Möglichkeit zu vielfältigster Tätigkeit und Einflußnahme begriff Goethe als einmalige Chance – Thüringen wurde die mehr und mehr geliebte Wahlheimat des Frankfurters. Den nur neugierigen Blick des interessierten Besuchers ersetzte der bestallte Beamte Goethe allmählich durch prüfendes, mehr in die Tiefe vordringendes Schauen. Zuerst entdeckte sich dem Zugereisten der Zauber der Thüringer Landschaft in der Umgebung Weimars. Da war der „Schwanenteich in Parklandschaft" (Abb. 2), ein Bild, in dem sich ein idyllisches Gewässer in waldiger Umgebung widerspiegelt, oder jene den Betrachter ob seiner romantischen Stimmung in den Bann ziehende Darstellung des „Aufgehenden Mondes am Fluß" (Abb. 5), worin das in vielen Windungen durch die malerische Flußaue sich schlängelnde Band der Ilm wiederkehrt. Hier im Ilmtal, im sogenannten Gartenhaus am Stern, findet der Dichter durch seines Herzogs Carl August hintergründige Generosität sein erstes eigentümliches Domizil, so recht der Platz, den amtlichen Pflichten in der aufreibenden und intriganten Hof- und Schloßatmosphäre zu entweichen und in eine scheinbar weitabgelegene Natureinsamkeit einzutauchen, die doch in wenigen Minuten zu Fuß zu erreichen ist. Und welcher Widerstreit auch in der Gefühlswelt des knapp Dreißigjährigen, der im Begriff steht, sich selbst und seinen Weg im Leben zu finden: auf der einen Seite der rigorose, von innerer Zerrissenheit zeugende, schicksalsschwere Würfelwurf, verbunden mit dem Entschluß, „zu entdecken, gewinnen, streiten, scheitern" oder sich „mit aller Ladung in die Luft zu sprengen";[10] auf der andern Seite jene auf tiefe Harmonie mit der umgebenden Natur hindeutende, unaussprechlich intime Sicht auf die um das Gartenhaus sich erstreckende, als ihm gehörig angenommene Flußlandschaft. Nur hier aber war der Verehrer Rousseaus außerhalb der gesellschaftlichen und dienstlichen Zwänge, nur hier gab es den sehnsuchtsvoll erstrebten Freiraum menschlicher und künstlerischer Existenz, und nur hier konnten naturlyrische Ergüsse sprudeln, wie das bekannte Gedicht „An den Mond" oder die beherrscht-glühenden Verse „An Lida", will sagen an die angebetete Charlotte von Stein. Im Gartenhaus am Stern wuchsen in den Jahren bis 1782 die Manuskripte von „Wilhelm Meisters theatralischer Sendung", indes am Abend „Mond gezeichnet wurde",[11] hier entstand in nächtlicher Schöpfung die Prosafassung der „Iphigenie", während „die Bäume voll blühenden Dufts im Mondschein"[12] standen, und hier wurden die ersten Szenen des „Torquato Tasso" erdacht in „herrlicher Mondnacht".[13] Die Gestaltung des werdenden Parks, an der Goethe maßgeblich Anteil nimmt, schließt die Anlage weiterer malerischer Winkel ein, so der „Felsentreppe" (Abb. 7), die, unmittelbar hinter einer Ilmbrücke am jenseitigen Steilufer des Flusses gelegen, auf dem Wege zum Haus der Charlotte von Stein vom dichtenden Minister und zeichnenden Beamten Goethe passiert werden mußte. Wertvolle Anregungen zur Parkgestaltung erfuhren Goethe und Carl August beim befreundeten

Fürsten Franz von Dessau, dessen Wörlitzer Parkschöpfung die Weimarer während mehrerer Besuche staunend kennen- und bewundern gelernt hatten. Nicht zufällig also sind auch solche stimmungsträchtigen Motive wie „Schloß Wörlitz" (Abb. 10) unter Goethes Handzeichnungen zu finden.

Gleichfalls unter die Thüringer Arbeiten der Jahre nach 1776 zählen die Kreidezeichnungen „Winterliche Mondnacht am Schwansee" (Abb. 11), „Erlen am Bach" (Abb. 16) und „Floßbrücke im Weimarer Park" (Abb. 8). Zunächst das erste Blatt: In wenigen, gegensätzlich kombinierten Elementen wird das eigenartige Fluidum der Landschaft wie des seinerzeit neuen, fast „exotischen Sportes" Schlittschuhlaufen – von Goethe in Weimar eingeführt – ins Bild gesetzt: Bäume und Sträucher winterlich erstarrt, dürre Spiegelbilder auf das glänzende Eis werfend, während die mehr erahnten als gesehenen, nur schemenhaft angedeuteten Eisläufer doch Bewegung und Leben in die graue und kalte Stimmung hineintragen. Bezeichnend sind sodann im zweiten Beispiel die filigranen Kreidestriche beim Erlengesträuch und der lediglich angedeutete Hintergrund, der eine Lokalität im Tiefurter Park nahezulegen scheint. Schließlich verblüfft der erstaunliche kompositionelle Auf-

bau des Brückenmotivs: strenge Linienführung der Brückenelemente bei gleichzeitiger lockerer Gruppierung der blattlosen Bäumchen, im Grunde das in diesiger Sicht verschwimmende Gartenhaus, auf das zwei angedeutete Staffagefiguren (Goethe und Fritz von Stein?) zulaufen. Die Bleistift- und Tuschzeichnung „Morgensonne am Gartenzaun" (Abb. 13), gleichfalls den Parkmotiven zugehörig, fängt dagegen eine völlig entgegengesetzte jahreszeitliche Stimmung ein: Der anbrechende Frühlingstag überflutet mit seinem Sonnenlicht eine ganz Vertrautes atmende Gartenecke, impressionistisch aufgefaßt und durch und durch modern in der feinfühligen Zartheit der erschauten Landschaft. Nur wenige hundert Meter entfernt, am östlichen Ausgang des heutigen Parks an der Ilm ist die „Oberweimarer Landschaft" (Abb. 14) mit der signifikanten Kirchturmhaube zu erblicken, in späteren Jahrzehnten sinnfälligerweise ein vielgesuchtes Motiv der Weimarer Malerschule.

Zwei Blätter mögen als Abschluß aus dem zehnjährigen thüringischen Zeichenschaffen Goethes von 1776 bis 1786 stehen: Die „Eingestürzte Schachtanlage" (Abb. 15) und der Blick auf die „Wartburg von Nordosten" (Abb. 6). Bereits im Jahre 1776 hatte

Goethe, die thüringischen Besitzungen Carl Augusts intensiv bereisend, erstmals die alten Bergwerke in der Nähe von Ilmenau besichtigt. Noch im Juni gleichen Jahres war er in das Geheime Conseil, das oberste Beratungsorgan des Herzogtums, berufen und dort unter anderem mit dem Bergwerksressort beauftragt worden. Mineralogische und geologische, selbst bergbautechnische Fragen werden in den Folgejahren gründlich durchgearbeitet, um Sachkenntnis zu erwerben. In diesem Zusammenhang entstand (wohl um 1784) die Bleistift- und Tuschzeichnung, die sich – typisch für Goethe – nicht in einer trockenen Sachskizze erschöpft, sondern mit impressionistischem Blick das Gesehene künstlerisch verdichtet: Die Lage der Erdschichten, das scheinbare Chaos der Stämme und Stempel, die zusammengestürzten Reste der Förderanlage sowie die den Neubeginn bergmännischen Wirkens verdeutlichenden Leitern verraten die bildnerische Durcharbeitung, die ob ihres Anscheins von Perfektionismus verschiedentlich die Mithilfe von Georg Melchior Kraus vermuten ließ.[14]

Die Berge, Täler und Burgen des Thüringer Waldes haben den Frankfurter stets in ihrem Bann gehalten und darunter besonders die Wartburg, die mit ihrer majestätischen Schönheit die Umgebung der Stadt Eisenach beherrscht. Der herzogliche Aufenthaltsort Wilhelmsthal in der Nähe Eisenachs sowie die Jagdleidenschaft Herzog Carl Augusts, deren improvisierte, genreartige Lebenssituationen auch bildlich-frisch festgehalten wurden (Abb. 12), führten Goethe – sozusagen in amtlicher Tätigkeit – auf die Wartburg, von deren Zinnen er weite Ausblicke in das Land genoß. So taucht die Wartburg mehrfach als Bildmotiv auf, unter anderem mit Blick von Nordosten (Abb. 6). Goethes Briefe von dort an Charlotte von Stein in den siebziger Jahren vermitteln eine Vorstellung von dem innigen Berührtsein des Zeichners durch diese Landschaft, an der er „eine rechte Fröhlichkeit"[15] empfinde: Das weit über die Gipfel ragende Burggebäude mit anschließendem Wehrgang liegt – so ein fachlicher Kommentar – wie ein Schiff über dem amorphen Durcheinander der nur angedeuteten Baum- und Strauchmasse des Burgberges. „Du kannst denken", kommentierte Goethe, „wie ich mich auf dem Thüringer Wald herumzeichne; der Herzog geht auf Hirsche, ich auf Landschaften aus ..."[16] Für den Menschen Goethe, der unter dem zunehmenden Amts- und Geschäftsdruck ein Schwinden seiner künstlerischen Produktion beobachten mußte, brachte in diesen Jahren das Zeichnen zumindest zeitweilig eine Entlastung. Auf Dauer freilich vermochte es den Konflikt, in den sich der Minister des weimarischen Herzogs und der Geistesgefährte Charlotte von Steins zunehmend verstrickt sah, nicht zu lösen.

Eine neue, die künstlerisch letzte Stufe der zeichnerischen Entwicklung erklimmt Goethe nach dem heimlichen Aufbruch in Richtung Italien im Spätsommer 1786 und den dort einsetzenden intensiven Studien, die, erstmals wieder seit der Leipziger Studienzeit, unter der fachlichen Anleitung bedeutender Maler standen, so z.B. Johann Heinrich Wilhelm Tischbeins, Johann Philipp Hackerts oder Angelika Kauffmanns. Letztmalig und programmatisch, mit gewaltigem innerem Anspruch, setzte Goethe, glücklich dem Weimarer Aktenstaub entwichen und eingebettet in die inspirierende Atmosphäre der Kunststadt Rom, zum Sturm an auf die bislang nicht einzunehmende Feste bildkünstlerischer Meisterschaft: „Jetzt oder niemals werde ich über gewisse Schwierigkeiten hinauskommen",[17] hatte der vertraute Freund Karl Ludwig von Knebel im Brief aus Italien zu lesen bekommen, und so fest entschlossen und zielstrebig, wie es klang, hatte der Zeichner

Goethe tatsächlich studiert: Perspektive und Komposition, Farbstudien, Zeichnen nach der Natur, Proportion und Figurales vom Kopf über den Körper mitsamt Knochenbau und Muskulatur und zuletzt die Hand wurden absolviert – vergebens, die magische Grenze war nicht zu durchbrechen. Aber ein Anderes, letztlich viel Wichtigeres stellte sich ein, dessen der Politiker, der Praktiker und Verwaltungsmensch Goethe in den Weimarer Jahren trotz verzweiflungsvollen Bemühens fast verlustig gegangen war: „Ich darf wohl sagen", resümiert der Romreisende im Frühjahr 1788 beglückt im Brief an den großherzig gewährenden Herzog Carl August, „ich habe mich in dieser anderthalbjährigen Einsamkeit wiedergefunden; aber als was? – Als Künstler!"[18] Und in der Tat, es stehen beachtliche poetische Neuansätze zu Buche, es gelang die glückliche Fortsetzung teils lange schon stagnierender Vorhaben, waren doch in bewußter, ahnungsvoller Absicht die unvollendeten oder überarbeitungsbedürftigen Manuskripte der „Iphigenie", des „Egmont", des „Tasso", des „Faust" im ansonsten spärlichen Reisegepäck sorgsam verstaut worden. Der großen Masse der in Italien entstandenen Zeichnungen – nahezu 900 sind überliefert – kommt in diesem Zusammenhang das unmittelbare Verdienst zu, daß auch durch diese künstlerische Grenzüberschreitung zur Bildnerei die schöpferische Rekonvaleszenz des Dichters unterstützt wurde.

Noch ganz in der vertrauten Tradition stimmungsvoll-lyrischer Zeichenkunst steht das Blatt „Venedig" (Abb. 17), zu Beginn der Reise, die eigentlich eine Flucht war, entstanden.

Herrlicher Mondschein über dem Wasser, dazu ein aufkommendes Gewitter mit begleitendem Wetterleuchten[19] – das ist bei dem neuen, dem italienischen Sujet dennoch die alte vertraute Romantik der nächtlichen Ilmtalzeichnungen, wie sie von den sogenannten „Mondscheinen" her hinlänglich bekannt ist. Dieses mit schwarzer Kreide gleichsam wie auf das Blatt gehauchte Stimmungsbild Venedigs mit einem verschwimmenden Hintergrund entstand Anfang Oktober 1786. Das ein knappes halbes Jahr später – im Februar 1787 – entworfene Blatt „Gebirgsort bei Velletri" (Abb. 26), unter maßgeblicher Beeinflussung und Anleitung Johann Heinrich Wilhelm Tischbeins entstanden, verdeutlicht ebenso wie die von Christoph Heinrich Kniep beeinflußte Zeichnung der „Bucht von Palermo mit dem Monte Pellegrino" (Abb. 20) den Wandel in der Zeichentechnik Goe-

thes. Bleistift und Tuschfeder haben die weichere Kohle abgelöst und ermöglichten den Übergang zur „großen, simplen Linie", der sich Goethe unter dem Eindruck des umgebenden Meeres und unter dem Einfluß der befreundeten Künstler befleißigen zu müssen glaubte. Das beeindruckende Landschaftserlebnis – mit einer ähnlichen geistigen Vehemenz bereits beim ersten Anblick des Alpengebirges aufgetreten – wandelt auch die Motivwahl vieler Zeichnungen: Waren es in Thüringen noch die „beschränkt Eckgen",[20] die den Zeichner zur Gestaltung provozierten, also unter anderem „verfallene Hütten, Höfchen, Strohdächer, Gebälke und Schweineställe", wie es Goethe 1780 in einem Brief an Friedrich (Maler) Müller erläuterte,[21] so sind es jetzt in Italien große, monumentale Landschaftsmotive, an denen sich der Zeichner versucht. Auch einige weite Räume umgreifende Zeichnungen des Thüringer Waldes oder die Versuche, große schweizerische Sichten auf dem Papier festzuhalten, verblassen neben der Wucht der zeichnerisch meisterhaft umgesetzten Sehweise verschiedener sizilianischer Landschaften. Blockhaft beherrschen massige, flache Bergkegel auf dem Blatt „Sizilianische Landschaft" (Abb. 19) die Bildmitte. Hier wie auch bei der berühmten Tuschzeichnung „Blick vom Ätna" (Abb. 23) versuchte sich der Künstler an der Wasser-farben-Malerei, die er vom Begleiter auf der Sizilien-Reise, von Christoph Heinrich Kniep, erlernt hatte. Beide Blätter signalisieren nicht nur Interesse an naturgeschichtlichen und naturwissenschaftlichen Phänomenen, sondern vor allem auch an der Farbe, deren physikalischen Geheimnissen und physiologi-schen Einwirkungen auf den Menschen der Zurück-gekehrte dann in Weimar in jahrelangen Forschun-gen und empirischen Versuchen auf die Spur zu kommen trachtete. Auch der „wunderliche Anblick" des „Stromboli" (Abb. 28), festgehalten während der Seefahrt im Mai 1787, darf in diesem Umkreis ge-nannt werden. Neben Tischbein und Kniep war Ja-kob Philipp Hackert der dritte namhafte Künstler, der sich des Goetheschen Talents annahm, ihn sogar in einem achtzehnmonatigen Kurs dahin zu bringen versprach, daß er Zeichnungen hervorzubringen verstünde, die ihm und andern Freude bereiteten.[22] In dieser Zeit, im Juni 1787, entstand die in ihrer Komposition beeindruckende aquarellierte Bleistift- und Sepiafederzeichnung „Parklichtung" (Abb. 21). Wie eine Zusammenfassung der italienischen Land-schafts-Zeichenerfahrungen sowohl in technischer

wie auch in motivischer Sicht, mag als letztes Bei-spiel in dieser Reihe die „Küstenlandschaft" (Abb. 25) stehen, die als Replik einer heute im Städelschen Kunstinstitut befindlichen Arbeit, möglicherweise in nachitalienischer Zeit von Goethe angefertigt, aller-dings nicht vollendet wurde.

Herausragende bildkünstlerische Leistungen ge-langen Goethe in der italienischen Zeit auch auf dem Gebiet der Architektur- und Perspektivzeichnungen, die im Kontext der Studien zu berühmten italieni-schen Baumeistern wie Sebastiano Serlio, Vincenzo Scamozzi und Vitruvius Pollio standen. Die Zeich-nung „Villenterrasse im Mondschein" (Abb. 24) ist hier anzusiedeln, bezeichnenderweise wieder eine stimmungsträchtige Kohlezeichnung aus dem Be-ginn der Italienreise, sowie die Zeichnung „Trep-penanlage" (Abb. 32), die wie eine gedrängte, auf dem Papier festgehaltene Perspektivlehre wirkt. Da es für dieses Blatt ältere Vorlagen nicht gibt, sich auch sofort die Assoziation zur 1792 neugestalteten Treppenanlage in Goethes Weimarer Haus am Frauenplan aufdrängt, ist eine nachitalienische Datierung nicht auszuschließen.[23] Die zarten Blei-stiftumrisse der „Ziegen" (Abb. 22) dagegen sind als sommerlich-ländliche Gelegenheitsübung für Landschaftsstaffage zu werten und sicher 1787 in Italien entstanden.

Bei Goethes Rückkehr aus Italien im Sommer 1788 war das innere Streben nach der hochgesteckten bildkünstlerischen Meisterschaft bewältigt und durch die „entschiedene Wendung" zur Natur und Naturwissenschaft, zur Kunstgeschichte und Kunstwissenschaft und – nicht zuletzt – zur Poesie ersetzt worden. So wird die Vollendung des „Tasso" tätig in Angriff genommen, kommt es 1790 zum vorläufigen Abschluß der „Faust"-Dichtung. Die Reorganisation der Jenenser Universität und die Errichtung eines dortigen Botanischen Gartens bündeln Goethes Energien in der naturwissenschaftlichen Sphäre und führen zu den unterschiedlichsten Ansätzen und Resultaten: Dem „Versuch die Metamorphose der Pflanzen zu erklären" folgt wenig später, 1796, der intensive Beginn der Beobachtungen und Versuche zur Farbenlehre, die erst nach zwei Jahrzehnten, ein umfängliches Lebenswerk darstellend, 1810 an das Licht der Öffentlichkeit treten konnte. Die neunziger Jahre waren zudem durch die Europa virulent ergreifenden Nachfolgeprozesse der Französischen Revolution gekennzeichnet, deren weltgeschichtlichem Atem sich auch der in Weimars provinzieller Luft zurückgezo-

gen lebende Goethe nicht zu entziehen vermochte. Zweite Italienreise und Schlesienreise 1790, sodann Teilnahme an der Kampagne in Frankreich 1792 und an der Belagerung von Mainz 1793 markieren dies. Obwohl Goethe noch im Sommer 1788 in Italien die Absicht artikulierte, „auf das Ausüben der bildenden Kunst Verzicht zu tun,"[24] war natürlich eine völlige Abstinenz von der Zeichnerei, der spröden, lebenslang geliebten Freundin, nicht zu erwarten. Daß gerade die tatsächliche Geliebte des Spätsommers 1788, Christiane Vulpius, das Weimarer Bürgermädchen mit seiner naiven Frische und dem an Italien erinnernden Aussehen und Liebreiz, zum Wiedererwecker und Wiederbeleber der alten Leidenschaft wurde, scheint ebenso folgerichtig wie die untrennbare Verknüpfung von Bild und Wort bei Goethe: Christianes antik-italienisch stilisiertem Profil ist chronologisch-werkgeschichtlich die bissige, scharfsichtige Dichtung der „Venetianischen Epigramme" unlöslich anverwandt. Die „leichtfertige Brut" – so Goethe an Schiller[25] – dieser kühlen, kritischen und realistischen Mehrzeiler enthielt denn auch u. a. eindeutige Christiane-Reminiszenzen, die man guten Gewissens gleichfalls bei dem höchst einfachen „Porträt einer sitzenden Dame" (Abb. 18) unterstellen darf.

Bis ins hohe Alter hinein ist Goethe gereist, und stets gehörten Papier und Zeichengerät zu den mitgeführten unentbehrlichen Reiseutensilien. „Der Borschen bei Bilin" (Abb. 30), während eines Ausfluges im Rahmen der böhmischen Badekur 1810 skizziert und später ausgeführt, möge paradigmatisch für diese spätere Art Goethes stehen, wie er zeichnerisch produzierte, der Lust am Augen-Blick und dem späteren, meist häuslichen Fertigstellen frönend. Gerade die unverkrampfte Absicht, sich selbst oder anderen etwas zur Freude oder zum Nachdenken festzuhalten, macht die unkomplizierte Einfachheit dieser zeichnerischen Gelegenheitsprodukte aus. Gleiches trifft zu auf das schlichte Bleistift- und Tuschbildchen des „Jenaer Schlachtfeldes" (Abb. 29), das sich im handlichen „Reise-, Zerstreuungs- und Trostbüchlein" für die Prinzessin Caroline, eine Tochter Herzog Carl Augusts, findet. Neben solchen Naturansichten standen beim späten Zeichner Goethe mit Vorliebe Phantasielandschaften, die – nach Friedrich Wilhelm Riemers Interpretation dieser Eigenart Goethes – „als skizzierte Idee, als bildlicher, symbolischer Ausdruck dessen, was seine Phantasie, sein Gemüt beschäftigte,"[26] angesehen werden können.

Daneben finden sich beim nachitalienischen Goethe zahlreiche Zeichnungen zur Naturwissenschaft, auch sie geradezu typisch den Weg aufzeigend, auf dem der Künstler und Naturwissenschaftler in beiden Richtungen zu wandeln vermochte und, „ohne es beinahe selbst bemerkt zu haben, in ein fremdes Feld" gelangte, indem er „von der Poesie zur bildenden Kunst, von dieser zur Naturforschung überging, und dasjenige, was nur Hülfsmittel sein sollte," ihn „nunmehr als Zweck anreizte," wie er es selbst in der „Konfession des Verfassers", einer Vorbemerkung des zweibändigen Farbenlehre-Kompendiums, rückschauend beurteilte.[27] Im gedanklichen Umfeld von Goethes Überlegungen zur Morphologie, zur biologischen Gestaltlehre, entstanden solche Skizzen wie die der „Frösche, Eidechse und Kröte" (Abb. 27). Indem der Forscher empirisch-vergleichend, also zeichnend und schlußfolgernd, den Geheimnissen der Natur nachspürte, hoffte Goethe neue Beweise für die „Harmonie der Natur" zu finden, die sich aus einer unendlichen Vielzahl variierter einfachster Grundmodelle bilde. So auch bei den geologischen Sammlungen, die mit Liebe und praktischer Energie vor allem während der Reisen ständig vervollständigt wurden und später als Objekte zeichnerischer Weltergründung wieder vor das Auge geholt und auf das Papier übertragen wurden, wie es das „Kristall" (Abb. 31) zeigt. Den meteorologischen Phänomenen erklärend auf die Spur zu kommen, war dem Wissen der Goethezeit noch nicht möglich. So mußte der 1825 vollendete „Versuch einer Witterungslehre" von vornherein fragmentarisch bleiben, was den Zeichner Goethe keinesfalls abhielt, immer wieder solche „Wolkennegociationen"[28] auf dem Papier differenzierend festzuhalten (Abb. 9) und – gleichnishafter Vorgang für den zwischen unterschiedlichsten künstlerischen und wissenschaftlichen Betätigungsfeldern sich bewegenden Goethe – bei stilistischen und technischen Erwägungen der Malerei zu nutzen.

Goethes spätere Selbsturteile über das, was er als Zeichner vermocht hat oder nicht leisten konnte, sind überwiegend kritisch, und das sicher zu Recht. Dennoch darf nicht vergessen werden, daß Goethe zum Zeitpunkt dieser seiner Einschätzungen sein zeichnerisches Gesamtwerk gar nicht mehr völlig übersehen konnte, waren doch viele der Blätter von ihm selbst verschenkt oder anderweitig aus der Hand gegeben worden, und oft genug gerade diejenigen Schöpfungen, die in unmittelbarer und originärer Art seine ganz individuelle, von den Strömungen der Zeit und den Handschriften bestimmter Künstler weitgehend unbeeinflußten Seh- und Blickweisen auf die ihn umgebende Welt widerspiegelten. Und nicht zuletzt diese Blätter, die Hans Wahl 1941 so treffend als „Geschwister seiner gleichzeitigen Lyrik"[29] bezeichnete, sind im Goetheschen Sinne „unschätzbar" – um auf jenes Eckermanngespräch von 1827 zurückzukommen –, weil unverzichtbarer, nicht wegzudenkender Teil eines mächtigen Œuvre, dessen Faszination uns Heutige ebenso fesselt wie es zum bleibenden humanistischen Besitz künftiger Generationen gehören wird. Jochen Klauss

1 Johann Peter Eckermann, Gespräche mit Goethe in den letzten Jahren seines Lebens. Berlin und Weimar 1982, S. 220.

2 WA II 1, S. XXXI.

3 WA I 26, S. 186.

4 WA III 1, S. 6.

5 WA I 2, S. 78.

6 HA I, S. 436.

7 Vgl. Corpus I, S. 52 f.

8 WA I 29, S. 121.

9 WA II 6, S. 99.

10 WA IV 3, S. 37.

11 WA III 1, S. 31.

12 WA III 1, S. 34.

13 WA III 1, S. 53.

14 Vgl. Corpus I, S. 98, Nr. 275.

15 WA IV 3, S. 176.

16 WA IV 3, S. 90.

17 WA IV 8, S. 267.

18 WA IV 8, S. 357.

19 Vgl. WA III 1, S. 254.

20 WA IV 3, S. 176.

21 WA IV 4, S. 234 f.

22 Vgl. WA I 31, S. 50 f.

23 Vgl. Corpus III, S. 47 f., Nr. 118.

24 WA I 32, S. 277.

25 WA IV 10, S. 204.

26 F. W. Riemer, Mitteilungen über Goethe. Auf Grund der Ausgabe von 1841 und des handschriftlichen Nachlasses hrsg. von Arthur Pollmer. Leipzig 1921, S. 187.

27 WA II 4, S. 308.

28 WA IV 27, S. 311.

29 Handzeichnungen von Goethe. Leipzig 1941, S. 19.

1 / Scheideblick nach Italien vom Gotthard
Bleistift, Tuschlavierung
343 × 432 mm; weiß-gelbes, vergilbtes,
stockfleckiges Papier mit Faltenbruch
Datierung: „Scheide Blick nach Italien vom
Gotthard d. 22.Juni 1775" (eigenh.)
Corpus I. 120 (Inv. Nr. 94)

2 / Schwanenteich in Parklandschaft
Bleistift, Tuschlavierung
180 × 258 mm; stark vergilbtes, stockfleckiges Papier
Datierung: 1776
Corpus I. 133 (Inv. Nr. 2257)

3 / Wasserfall der Reuß im Drachental
Bleistift, Feder, Tusche, Tuschlavierung
115 × 345 mm; weiß-gelbes, stockfleckiges Papier
Datierung: „d. 21.J(uni 1775) Drachental" (eigenh.)
Corpus I. 118 (Inv. Nr. 93)

4 / Auf dem St.Gotthard
Bleistift, Tuschlavierung

278 × 422 mm; weißes Papier, Wasserfleck und
Stockflecken, Faltenbruch
Datierung: „d. 22.Juni 1775 bey den
Kapuzinern zu oberst auf dem Gotthard mitten
in Schnee und Wolken" (eigenh.)
Corpus I. 121 (Inv. Nr. 2256)

5 / Aufgehender Mond am Fluß
Braune Kreide, Weißhöhung mit Kreide
147 × 226 mm; braunes Papier
Datierung: um 1777 (?)
Corpus I. 159 (Inv. Nr. 1535)

6 / Wartburg von Nordosten
Bleistift, Tuschlavierung
373 × 538 mm; weißes, vergilbtes
Papier
Datierung: September/Oktober 1777
Corpus I. 183 (Inv. Nr. 1929 B)

7 / Felsentreppe im Weimarer Park
Bleistift, Tuschlavierung

249 × 348 mm; blaues, stockfleckiges Papier
Datierung: 1777
Corpus I. 178 (Inv. Nr. 1923)

8 / Floß- oder Naturbrücke im Weimarer Park
Kohle, Weißhöhung mit Kreide
320 × 530 mm; blaues, stellenweise verblaßtes
und verbräuntes Papier
Datierung: 1777/79
Corpus I. 195 (Inv. Nr. 965 B)

9 / Wolkenmassen verdecken untergehende Sonne
Bleistift, Tusche
327 × 192 mm; weißes Papier
Datierung: 1777/79
Corpus V B, 224 (Inv. Nr. 2259)

10 / Schloß Wörlitz
Bleistift, Tuschlavierung
320 × 508 mm; festes, weißes Papier
Datierung: „Wörlitz 26 May 78 G." (eigenh.)
Corpus I. 197 (Inv. Nr. 962 B)

11 / Winterliche Mondnacht am Schwansee bei
Weimar
Kohle, Weißhöhung mit Kreide
238 × 268 mm; bläuliches, dünnes Papier,
untere Ecke beschädigt

Datierung: 1777/78
Corpus I. 193 (Inv. Nr. 1934)

12 / Siesta
Bleistift
194 × 327 mm; ehemals weißes, verbräuntes
Papier mit Stock- und Eisenflecken
Datierung: 1776
Corpus I. 297 (Inv. Nr. 127)

13 / Morgensonne am Gartenzaun
Bleistift, Tuschlavierung
237 × 388 mm; weißes, vergilbtes,
stockfleckiges Papier
Datierung: 1779/80
Corpus I. 221 (Inv. Nr. 1933)

14 / Oberweimarer Landschaft mit Kirchturm
Kohle, teilweise gewischt
224 × 328 mm; braunes Papier, Faltenbruch
Datierung: 1778
Corpus I. 200 (Inv. Nr. 2172)

15 / Eingestürzte Schachtanlage
Bleistift, Tuschlavierung
274 × 411 mm; weißes Papier
Datierung: 1784 (?)
Corpus I. 275 (Inv. Nr. 1118)

16 / Erlen am Bach
Schwarze Kreide
250 × 385 mm; (Bild: 250 × 287 mm); weißes
stockfleckiges Papier
Datierung: 1777/78 (?)
Corpus I. 194 (Inv. Nr. 1099)

17 / Venedig
Bleistift, schwarze Kreide
187 × 314 mm; graubraunes, stockfleckiges
Papier
Datierung: 1. Oktober 1786 „Venedig" (eigenh.)
Corpus II. 22 (Inv. Nr. 155)

18 / Porträt einer sitzenden Dame
Bleistift, Feder mit Tusche
245 × 193 mm; weißes, vergilbtes Papier
Datierung: um 1790
Corpus IV B, 67 (Inv. Nr. 861)

19 / Sizilianische Landschaft
Bleistift, Aquarellfarben
213 × 277 mm; weißes Papier
Datierung: April/ 12. Mai 1787
Corpus I. 149 (Inv. Nr. 691)

20 / Bucht von Palermo mit Monte Pellegrino
Bleistift

152 × 241 mm; weißes Papier
Datierung: Anfang April 1787
Corpus II. 133 (Inv. Nr. 361)

21 / Parklichtung
Bleistift, Feder mit Sepia, Aquarellfarben
377 × 540 mm; weißes Papier
Datierung: Juni 1787
Corpus II. 204 (Inv. Nr. 926 B)

22 / Sechs Ziegen
Bleistift
343 × 345 mm; weiß-graues Papier
Datierung: Sommer/Herbst 1787
Corpus III. 263 (Inv. Nr. 492)

23 / Blick vom Ätna
Bleistift, Tuschfeder, Aquarellfarben
240 × 340 mm; weißes Papier
Datierung: etwa 5. Mai 1787
Corpus II. 170 (Inv. Nr. 574)

24 / Villenterrasse im Mondschein
Schwarze Kreide, gewischt
143 × 216 mm; einseitig bräunlich getöntes
Papier
Datierung: Mitte November 1786
Corpus III. 4 (Inv. Nr. 260)

25 / Küstenlandschaft
Bleistift, Aquarellfarben
232 × 305 mm; (Bild: 188 × 237 mm);
weißes Papier, aufgezogen
Datierung: Spätsommer/Winterbeginn 1787
oder nach 1788 (?)
Corpus II. 313 (Inv. Nr. 689)

26 / Gebirgsort bei Velletri
Bleistift, Feder mit Tusche,
Tuschlavierung
174 × 230 mm; weißes Papier
Datierung: 22. Februar 1787 (?)
Corpus II. 61 (Inv. Nr. 324)

27 / Frösche, Eidechse und Kröte
Bleistift
347 × 206 mm; weißes, vergilbtes
Zeichenpapier, Faltenbruch
Datierung: 9. März 1797 (?)
Corpus V B, 46 (Inv. Nr. 1795)

28 / Stromboli
Bleistift, Sepialavierung
93 × 230 mm; weißes Papier
Datierung: um 13. Mai 1787
Corpus II. 176 (Inv. Nr. 321)

29 / Jenaer Schlachtfeld
Bleistift, Tuschlavierung
101 × 180 mm; weißes Papier, graues,
getuschtes Rähmchen
Datierung: „Cosp. Hölzchen. XIV. Heil.
Lützerode, /23 May" 1807 (eigenh.)
Corpus IV A, 286 (Inv. Nr. 2078 Rs.)

30 / Der Borschen bei Bilin
Feder mit Tusche, Tusch- und Sepialavierung
343 × 208 mm; graues, vergilbtes Papier,
aufgeklebt, grau getuschtes Rähmchen
Datierung: „Bilin nach Töplitz, August 1810 G." (eigenh.)
Corpus IV A, 224 (Inv. Nr. 2011)

31 / Karlsbader Zwillinge
Bleistift
208 × 140 mm; gelblich-weißes Papier
Datierung: 1806/07
Corpus V B, 202 (Inv. Nr. 1515)

32 / Treppenanlage
Bleistift, Feder mit Tusche, Tuschlavierung
232 × 273 mm; (Bild: 180 × 224 mm); weißes
Papier, dunkelgraues getuschtes Rähmchen
Datierung: 1787 oder 1795 (?)
Corpus III. 118 (Inv. Nr. 2293)

Goethes Werke. Hrsg. im Auftrage der Großherzogin Sophie von Sachsen. Weimar 1887–1919 (Weimarer Ausgabe. Abt. I: Poetische Werke und Schriften; Abt. II: Naturwissenschaftliche Schriften; Abt. III: Tagebücher; Abt. IV: Briefe (kurz: WA)

Goethes Werke. Textkritisch durchgesehen und mit Anmerkungen versehen von Erich Trunz. Hamburger Ausgabe in 14 Bänden. Hamburg, 6. Aufl. 1962 (kurz: HA)

Corpus der Goethezeichnungen. Hrsg. von den Nationalen Forschungs- und Gedenkstätten der klassischen deutschen Literatur in Weimar (NFG). Bearb. v. Gerhard Femmel (u. a.). 7 Teile in 10 Bänden. Leipzig 1958–1973 (kurz: Corpus)

Arnold Federmann, Goethe als bildender Künstler. Stuttgart u. Berlin 1932

Handzeichnungen von Goethe. 24 farbige Tafeln mit einem Geleitwort von Hans Wahl. Leipzig 1941

Ludwig Münz, Goethes Zeichnungen und Radierungen. Wien 1949

Hans Wahl, Goethe als Zeichner der Deutschen Landschaft. 1776–1786. Erfurt 1949

Wolfgang Hecht, Goethe als Zeichner. Leipzig 1982

Dieter Eckardt/Wolfgang Hecht, Johann Wolfgang Goethe. Thüringer Zeichnungen. NFG Weimar 1982

Johann Wolfgang von Goethe, Natur und Kunst. Graphik und Gedichte. Nachwort von Jochen Klauß. Hrsg. von Elfriede Friesenbiller. Mit 20 Abb. Wien–München 1987

Jochen Klauß, Goethe als Zeichner in Italien. NFG Weimar 1988

Jochen Klauß, Der Zeichner Goethe 1788–1852. NFG Weimar 1990

Die Originale der wiedergegebenen Blätter
befinden sich im Goethe-Nationalmuseum zu Weimar.
Wir danken der Stiftung Weimarer Klassik
für die freundlich erteilte Genehmigung zum Abdruck.
Die Fotoreproduktionen schuf Herr Constantin Beyer,
Weimar.

Die Deutsche Bibliothek – CIP-Einheitsaufnahme
Goethe, Johann Wolfgang von:
Zeichnungen von Goethes Hand: 32 Wiedergaben
nach Aquarellen und Skizzen des Dichters
mit Texten von ihm selbst
[ausgew. und mit einem Nachw. vers. von Jochen Klauss].
3. Aufl. – Leipzig : Ed. Leipzig, 1999
ISBN 3-361-00477-2

Druck und Bindearbeiten: Westermann Druck Zwickau GmbH
Printed in Germany
Gedruckt auf alterungsbeständigem Papier
mit chlorfrei gebleichtem Zellstoff.